PLIAGE DE SERVIETTES

© 2006, Tana éditions
ISBN: 2-84567-304-3
Dépôt légal : février 2006
Achevé d'imprimer : janvier 2006
Imprimé et relié par Eurolitho S.p.A
Printed in Italy

Tana éditions
16-24, rue Cabanis — 12, villa de Lourcine
75014 Paris
www.tana.fr

Amandine Dardenne

Photos : Isabelle Schaff

PLIAGE DE SERVIETTES

Tana
éditions

6 SOMMAIRE

Le pliage de serviettes consacre l'art de recevoir et offre une panoplie de mise en scène pour égayer et personnaliser toutes vos invitations. Les petits plats dans les grands, quelques fleurs, un délicieux dîner et une farandole de serviettes, voilà comment vous pouvez chérir vos amis. N'hésitez pas à personnaliser davantage les pliages en y glissant des petits cadeaux d'invités, des pétales de fleurs, des confettis, des dragées... Certaines formes s'y prêtent particulièrement ; laissez faire votre imagination !

Voici quelques conseils pratiques pour réussir vos pliages :

Ils sont réalisables avec toutes les serviettes, vous pouvez utiliser celles qui sont dans vos armoires. Elles doivent être impeccablement repassées. Pour plus de tenue, vous pouvez les amidonner, opération simple aujourd'hui grâce à l'amidon en bombe. Si vous avez le temps, vous pouvez pour un résultat parfait aplatir au fer certains plis du modèle que vous aurez choisi.

Une serviette en papier pourra convenir mais pour une allure parfaite et une meilleure tenue, préférez le tissu.

Passez une excellente soirée !

10 TRIANGLE

Une forme géométrique qui vous permettra d'oser une mise en place originale.

RÉALISATION

1. Poser la serviette à plat, côté envers sur le dessus.

2. Plier la serviette en deux vers le haut.

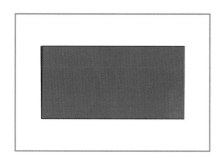

3. Plier le coin inférieur gauche vers le haut au centre et le coin supérieur droit vers le bas au centre.

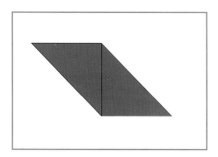

4. Plier en deux de gauche à droite.

5. Plier le coin supérieur droit vers l'arrière sur le coin inférieur gauche.

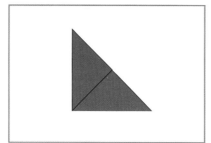

6. Plier le coin inférieur droit sur le coin supérieur gauche.
Relever et ouvrir la serviette.

12 CARRÉ

Ce joli pliage vous permet de mettre en valeur le motif raffiné de vos serviettes.

RÉALISATION

1. Poser la serviette à plat, côté envers sur le dessus.

2. Plier en trois.

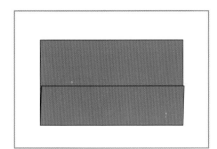

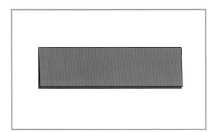

3. Rabattre les coins du haut vers le bas pour former un trapèze.

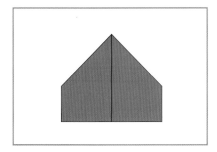

4. Replier la base du trapèze en deux et la rabattre une deuxième fois vers la pointe.

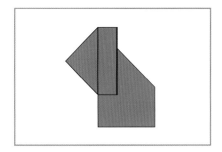

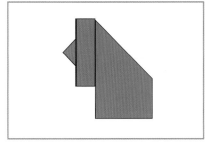

5. Retourner la serviette.

6. Plier les côtés de la base sur la pointe.

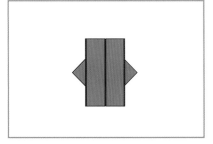

7. Retourner la serviette.

14 CÔNE

Un pliage simple au style que vous choisirez, à carreau camouflage branché, rose pâle romantique ou imprimé coloré pop...

RÉALISATION

1. Poser la serviette à plat, côté endroit sur le dessus.

2. Plier en trois en rabattant les côtés vers le centre.

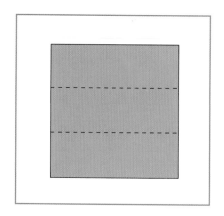

3. Rabattre le côté droit de 1/3 vers l'intérieur.

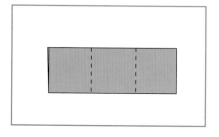

4. Rabattre l'angle supérieur droit au centre en bas.

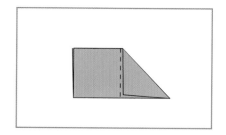

5. Rouler la serviette pour obtenir un cône.

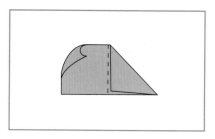

6. Plier les pointes vers l'extérieur.

7. Relever et mettre en forme.

16 RECTANGLE PLISSÉ

Jouez avec les plis et les rayures, fines, larges, brodées, imprimées... Un effet différent pour chaque modèle.

RÉALISATION

1. Poser la serviette à plat, côté envers sur le dessus.

2. Plier la serviette en accordéon avec des bandes de 2 cm environ et en décalant chaque pli de 1 cm.

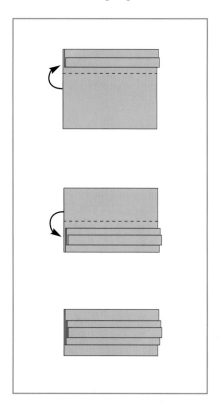

3. Retourner la serviette.

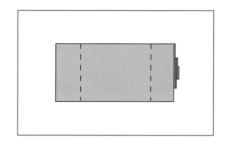

4. Plier en trois en rabattant les côtés vers le centre.

5. Retourner la serviette.

18 DOUBLES POINTES

Telle une sculpture abstraite, il sera un double col de chemise, un immeuble moderne, une église... Demandez à vos convives ce qu'ils y voient pour vous amuser!

RÉALISATION

1. Poser la serviette à plat, côté envers sur le dessus.

2. Plier en deux de gauche à droite.

3. Plier une bande de 2 cm en haut vers l'arrière.

4. Plier une bande de 2 cm en bas à l'avant.

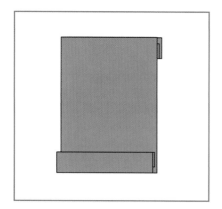

5. Rabattre les pointes supérieures vers le centre.

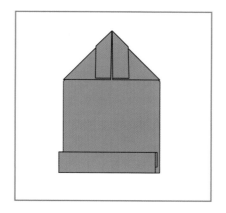

6. Plier le bas sur le haut à 1 cm de la pointe et rabattre les pointes supérieures vers le centre.

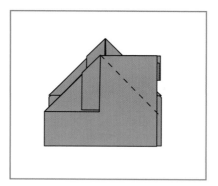

7. Rabattre le bas vers le haut puis les côtés vers l'arrière.

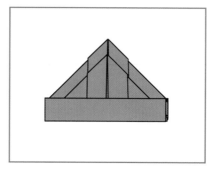

20 ÉTOILE

Graphique et épurée, une allure résolument très mode.

RÉALISATION

1. Poser la serviette à plat, côté envers sur le dessus.

2. Plier les quatre coins vers le centre.

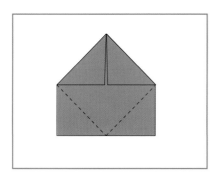

3. Plier les quatre nouveaux coins vers le centre.

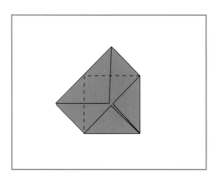

4. Plier la serviette en deux, du haut vers le bas.

5. Rentrer chaque côté à l'intérieur pour former un triangle, coins supérieurs vers le centre.

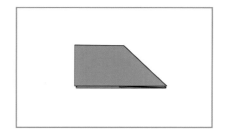

6. Relever et mettre en forme.

22 ROULEAU

Jouez sur les couleurs pour un maximum d'effets. Pour ce pliage, une serviette bicolore a été utilisée.

RÉALISATION

1. Poser la serviette à plat, côté envers sur le dessus.

2. Plier en deux en diagonale en positionnant la pointe du bas 5 cm sous la pointe du haut.

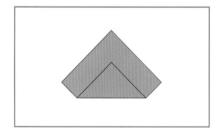

3. Retourner la serviette.

4. Rabattre les deux pointes à 1 cm de la base.

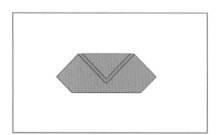

5. Retourner la serviette.

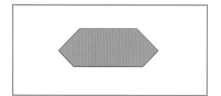

6. Rouler les pointes gauche et droite jusqu'à ce qu'elles se rejoignent au centre.

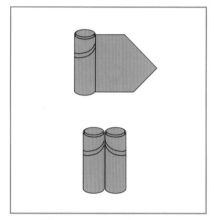

7. Retourner la serviette et mettre en forme.

24 FLÈCHE

Suivez du regard la direction qu'indique votre Flèche, vous rencontrerez la personne avec qui vous partagerez votre dîner.

RÉALISATION

1. Poser la serviette à plat, côté endroit sur le dessus.

2. Plier la serviette en deux vers le haut.

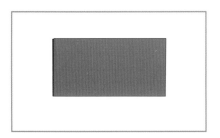

3. Plier le pan supérieur en deux vers le bas.

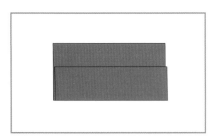

4. Retourner la serviette et faire de même avec l'autre pan.

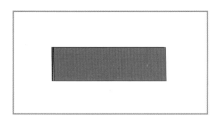

5. Plier les coins du haut vers le bas pour former un trapèze.

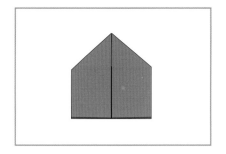

6. Tourner la serviette et plier la pointe vers le haut.

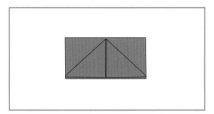

7. Ouvrir la serviette et mettre en place.

26 ROSE

Rose rouge, passionnée
et romantique exclusivement
réservée aux soirées en
amoureux.

RÉALISATION

1. Poser la serviette à plat, côté
envers sur le dessus.

2. Plier en deux sur la diagonale,
placer la pointe ouverte vers le
haut.

3. Rouler la serviette en partant du
bas.

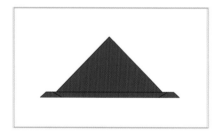

4. Enrouler la bande obtenue sur
elle-même en décalant légère-
ment.

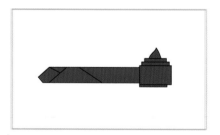

5. Glisser le dernier centimètre à
l'intérieur.

6. Relever et mettre en forme en
étirant doucement.

28 BOURGEON

Frais et idéal pour assortir votre table aux premiers jours du printemps.

RÉALISATION

1. Poser la serviette à plat, côté envers sur le dessus.

2. Plier en trois en rabattant les côtés vers le centre.

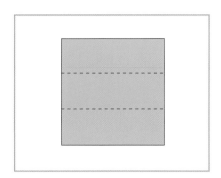

3. Plier en quatre en rabattant les côtés au centre.

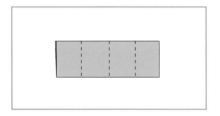

4. Rabattre les coins du haut vers le bas pour former un trapèze.

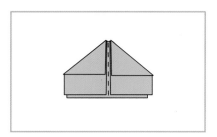

5. Retourner la serviette et diriger la pointe vers le bas.

6. Plier en trois en rabattant les côtés l'un sur l'autre vers le bas.

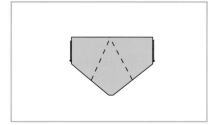

7. Rentrer les côtés l'un dans l'autre.

8. Relever et mettre en forme.

Cette fleur pure et distinguée
habillera divinement la table
de merveilleux événements -
mariages, baptêmes - où
son blanc immaculé sera
de circonstance.

RÉALISATION

1. Poser la serviette à plat, côté
envers sur le dessus.

2. Plier en deux sur la diagonale,
placer la pointe ouverte vers le
haut.

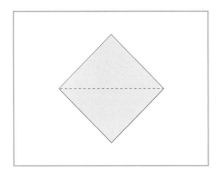

3. Rabattre les coins inférieurs sur
la pointe du haut pour obtenir un
carré.

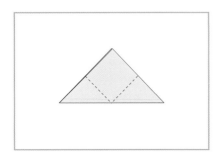

4. Rabattre la pointe du bas jusqu'au centre puis la plier en deux
vers le bas.

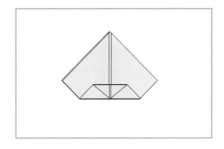

5. Retourner la serviette.

6. Rabattre les côtés au centre et
les rentrer l'un dans l'autre.

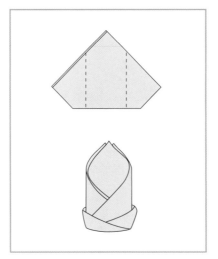

7. Relever la serviette et mettre en
forme en rabattant les deux
pointes dans la base.

Ce pliage produit beaucoup d'effet : donnez à votre dîner une note exotique grâce à cette fleur venue d'ailleurs.

RÉALISATION

1. Poser la serviette à plat, côté envers sur le dessus.

2. Plier les quatre coins vers le centre.

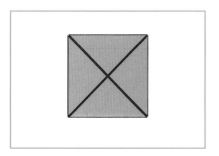

3. Retourner la serviette.

4. Plier les quatre nouveaux coins vers le centre.

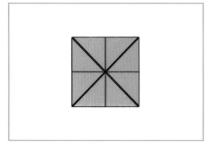

5. Maintenir le centre et tirer délicatement l'arrière de chacun des coins vers l'extérieur.

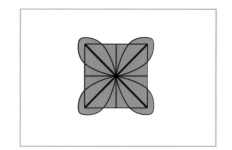

34 POMME DE PIN

Buffet campagnard, soupe au potiron... À vous de marier son style avec vos plats d'automne favoris.

RÉALISATION

1. Poser la serviette à plat, côté envers sur le dessus.

2. Plier la serviette en accordéon avec des bandes de 2 cm environ et en décalant chaque pli de 1 cm.

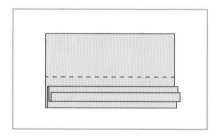

3. Retourner la serviette. Rabattre les deux côtés vers l'avant, l'un sur l'autre.

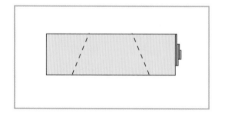

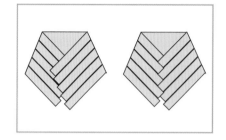

4. Les ramener vers le bas en insérant chaque pli l'un dans l'autre.

5. Plier les pointes du bas à l'intérieur.

6. Relever et mettre en place.

36 IRIS

Les iris arborent toutes les couleurs, à vous de choisir! Mais le violet classique a notre préférence.

RÉALISATION

1. Poser la serviette à plat, côté envers sur le dessus.

2. Plier en deux sur la diagonale, placer la pointe ouverte vers le haut.

3. Rabattre les coins inférieurs sur la pointe du haut pour obtenir un carré.

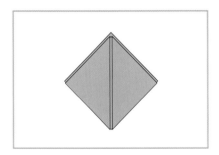

4. Rabattre la pointe du bas jusqu'au centre puis la plier en deux vers le bas en dépassant de 2 cm.

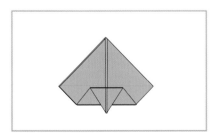

5. Plier cette pointe vers l'arrière.

6. Retourner la serviette.

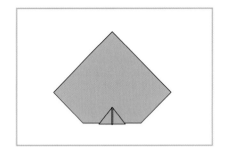

7. Rabattre les côtés au centre et les rentrer l'un dans l'autre.

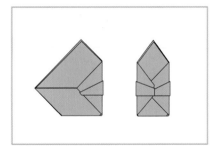

8. Relever la serviette et mettre en forme en écartant les deux pointes vers l'extérieur.

Une réalisation simple et rapide qui remplacera joliment les éternels ronds de serviette.

RÉALISATION

1. Poser la serviette à plat, côté envers sur le dessus.

2. Plier 1/3 du bas de la serviette vers le haut.

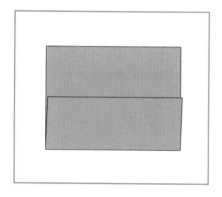

3. Plier le 1/3 du haut vers le bas et replier une petite bande (3 cm environ) plusieurs fois vers le haut jusqu'au centre.

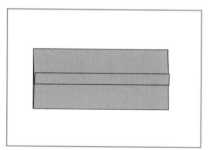

4. Retourner la serviette et la rouler sur elle-même de gauche à droite.

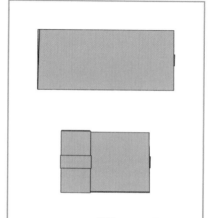

40 ENVELOPPE

Vous avez un message! Ouvrez votre serviette, il se trouve juste devant vous, dans votre assiette.

RÉALISATION

1. Poser la serviette à plat, côté envers sur le dessus.

2. Plier les côtés jusqu'au centre.

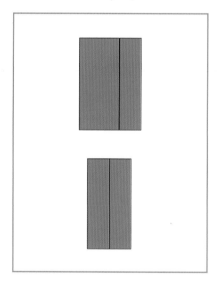

3. Plier les coins du haut vers le centre pour former un triangle.

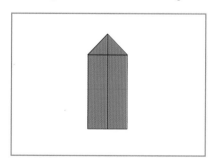

4. Plier le bas sur 1/3 vers le haut puis une deuxième fois jusqu'à la base du triangle.

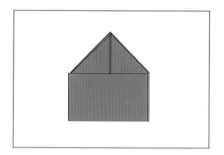

5. Rabattre la pointe du triangle vers le bas.

42 PETITS RAMEQUINS

Ce pliage que vous réalisiez dans la cour de l'école amènera tous vos invités vers un doux souvenir d'enfance.

RÉALISATION

1. Poser la serviette à plat, côté endroit sur le dessus.

2. Plier les quatre coins vers le centre.

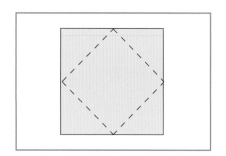

3. Retourner la serviette.

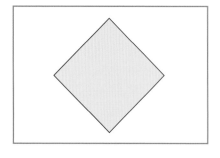

4. Plier les quatre nouveaux coins vers le centre.

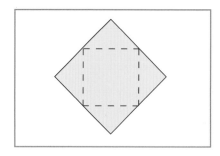

5. Retourner la serviette.

6. Marquer les plis en pliant la serviette en quatre.

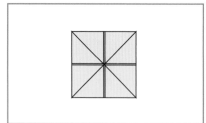

7. Ouvrir délicatement et mettre en forme en rabattant les quatre pans du centre vers l'extérieur.

44 RANGE-COUVERTS

Une manière originale de présenter la table et de mettre en valeur les couteaux, fourchettes et autres couverts.

RÉALISATION

1. Plier la serviette en quatre, en deux vers le haut puis le côté droit sur le côté gauche.

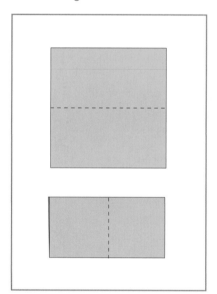

2. Rabattre les deux premiers pans supérieurs gauches sur l'angle inférieur droit en le pliant en trois ; le dernier pli se trouvera sur la diagonale.

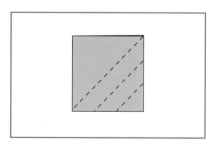

3. Rabattre les côtés vers l'arrière.

46 ÉVENTAIL SUR PIED

Tissu sage pour ambiance classique ou osez les couleurs et donnez un coup de jeune à cet inconditionnel des pliages de serviette de table.

RÉALISATION

1. Poser la serviette à plat, côté envers sur le dessus.

2. Plier la serviette en deux de gauche à droite.

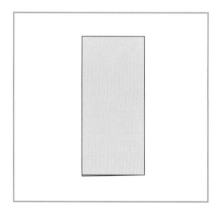

3. Les plier en accordéon de bas en haut.

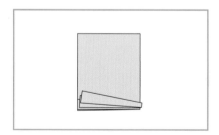

4. Plier en deux et retourner la serviette.

5. Plier le coin gauche vers le bas et le glisser entre les plis.

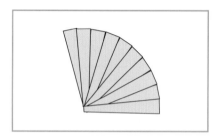

6. Relever la serviette et ouvrir l'éventail.

48 ROBE DE BAL

Rêves de valses romantiques, on aurait presque envie de la faire tourner.

RÉALISATION

1. Poser la serviette à plat, côté envers sur le dessus.

2. Plier la serviette en deux vers le bas.

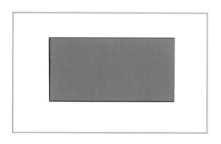

3. En ne prenant qu'un pan de la serviette, rabattre le coin inférieur gauche sur le coin inférieur droit.

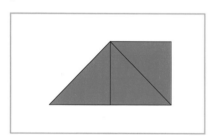

4. Replier le coin droit sur la gauche.

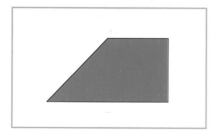

5. En ne prenant qu'un pan de la serviette, rabattre le coin inférieur droit sur le coin inférieur gauche.

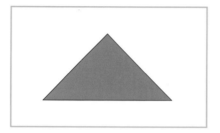

6. Replier le coin droit sur la gauche.

7. Relever et mettre en place.

50 LAPIN

Tellement mignon ce petit lapin, il n'amusera pas que les enfants !

RÉALISATION

1. Poser la serviette à plat, côté endroit sur le dessus.

2. Plier la serviette en deux vers le bas.

3. Plier le pan supérieur en deux vers le haut.

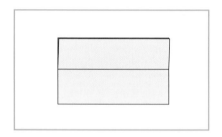

4. Retourner la serviette et faire de même avec l'autre pan.

5. Plier les coins du bas vers le haut pour former un trapèze.

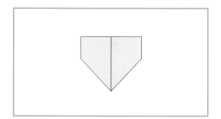

6. Rabattre les coins du haut vers le centre pour former un carré.

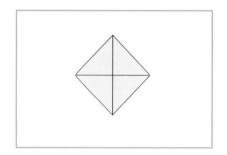

7. Replier les côtés vers le milieu.

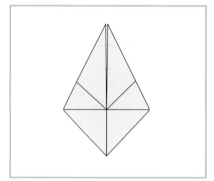

8. Rabattre la pointe inférieure vers l'arrière.

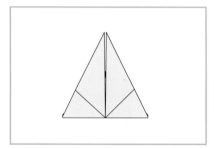

9. Plier la serviette en deux et mettre en forme.

52 CORNET

Avec son allure sophistiquée, il ajoutera la touche parfaite au repas fin que vous servirez.

RÉALISATION

1. Poser la serviette à plat, côté envers sur le dessus.

2. Plier la serviette en quatre, en deux vers le haut puis le côté droit sur le côté gauche.

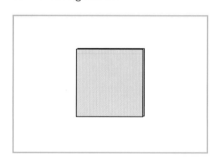

3. Plier le pan supérieur gauche vers le coin inférieur droit à 1 cm du bord.

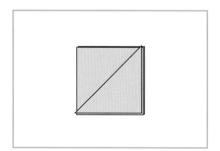

4. Plier le deuxième pan supérieur gauche vers le coin inférieur droit à 1 cm du premier.

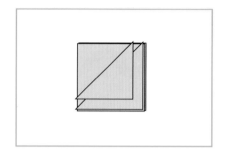

5. Recommencer jusqu'au dernier pan.

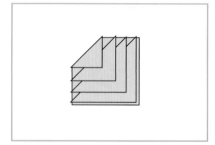

6. Plier les côtés vers l'arrière pour former un cône et les rentrer l'un dans l'autre.

54 VOILIER

Hissez haut ! Un pliage sur le thème de la mer, parfait pour accompagner un poisson ou un plateau de fruits de mer.

RÉALISATION

1. Poser la serviette à plat, côté envers sur le dessus.

2. Plier la serviette en quatre, en deux vers le haut puis le côté droit sur le côté gauche.

3. Placer la pointe ouverte vers le bas.

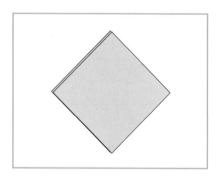

4. Rabattre le coin inférieur sur le coin supérieur.

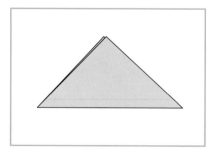

5. Rabattre les pointes au centre vers le bas et les rabattre vers l'arrière.

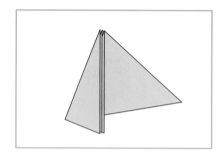

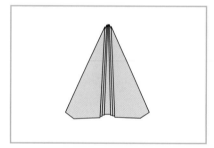

6. Plier la serviette en deux vers l'arrière.

7. Redresser les pointes une à une pour former les voiles.

56 ÉVENTAIL

Vous n'êtes pas obligé
d'attendre la canicule
pour sortir ces éventails,
ils n'apprivoisent pas le vent,
ils décorent votre table.

RÉALISATION

1. Poser la serviette à plat, côté
endroit sur le dessus.

2. Plier en deux vers le haut.

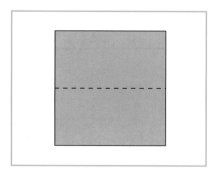

3. Rabattre 1/3.

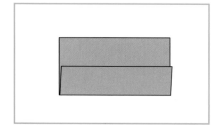

4. Plier en accordéon.

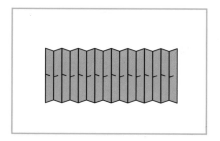

5. Dans chaque pli, rabattre le 1/3
vers l'avant.

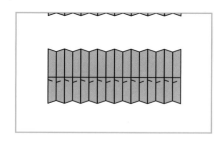

6. Ouvrir l'éventail.

58 JABOT

Comme venu d'un autre temps, avec pliage, dînez en compagnie de gentes demoiselles et de gentlemans, révérences et baisemains seront de mise !

RÉALISATION

1. Poser la serviette à plat, côté endroit sur le dessus.

2. Plier la serviette en quatre, en deux vers le haut puis le côté droit sur le côté gauche.

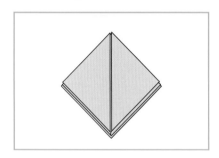

3. Placer la pointe ouverte vers la droite.

4. Plier le pan du dessus en deux de gauche à droite.

5. Ramener la pointe au centre en formant trois plis en accordéon.

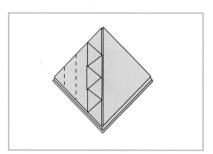

6. Plier la pointe opposée de la même manière.

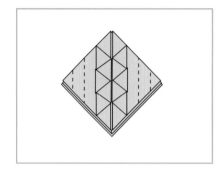

7. Rabattre les pointes droite et gauche vers l'arrière.

8. Rabattre le bas vers l'arrière.

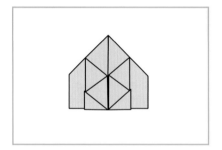

60 MITRE

Les papes la portaient sur la tête, vous, vous la porterez dans l'assiette !

RÉALISATION

1. Poser la serviette à plat, côté envers sur le dessus.

2. Plier la serviette en deux, bas vers le haut.

3. Rabattre le coin supérieur gauche vers le bas au centre et le coin inférieur droit vers le haut au centre.

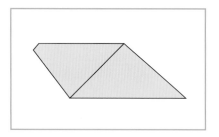

4. Retourner la serviette et la plier en deux vers le bas en libérant les deux pointes vers le haut.

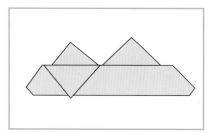

5. Plier en deux vers l'intérieur en libérant les pointes.

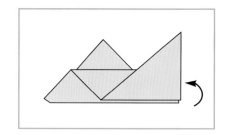

6. Glisser le côté droit au centre vers l'arrière et le côté gauche au centre sur le devant.

7. Relever et mettre en forme.

Conception graphique : Marina Delranc
Mises en pages : Jean-Philippe Gatier
Réalisation Photogravure : Frédéric Bar
Coordination éditoriale : Olivia Le Gourrierec